Le moniteur te donne un papier dans un **brassard** que tu porteras toujours sur toi : il dit qui tu es, à quel cours tu vas assister et comment on peut joindre tes parents en cas de besoin.

L'équipement

Le matériel de ski est vraiment encombrant ! Les **chaussures**, par exemple, sont dures et inconfortables et empêchent de se tenir droit. Et les **skis** sont difficiles à porter.

Les **semelles** des skis sont recouvertes d'une sorte de cire : c'est elle qui leur permet de glisser sur la neige.

Tout ce matériel se trouve chez le loueur.
C'est lui qui t'aide à choisir des chaussures
et des skis adaptés à ta **taille** et à ton **niveau**.

Les **fixations** mordent l'avant et l'arrière
de ta chaussure. Il faut les régler en fonction
de ton poids pour qu'elles tiennent
fermement ton pied quand tu skies,
et qu'elles le relâchent quand tu tombes.

Les **chaussures** sont très rigides. Elles servent
à maintenir le pied et la cheville. Et elles aident
à avoir la bonne position sur les skis.

La tenue

À la montagne, la **météo** change beaucoup. Quand on est dehors, on peut vite avoir froid et se retrouver tout mouillé à cause de la neige. Une tenue chaude et imperméable est donc indispensable.

Le **casque** tient chaud et protège la tête en cas de chute ou de collision.

Une polaire, des grosses chaussettes, des **gants** ou des **moufles**... il faut bien se couvrir !

La salopette ou le pantalon de ski sont **imperméables**. Ils se terminent aux chevilles par un élastique qui empêche la neige d'entrer dans les chaussures.

Le **soleil** est très fort. Pour se protéger, c'est stick à lèvres, crème solaire, et masque ou lunettes obligatoires !

Le conseil du coach

Une fois en combinaison et lancé sur les pistes, difficile de demander aux autres de s'arrêter pour une pause pipi. Il faut donc toujours penser à bien vider sa vessie avant chaque cours. Sinon, gare aux petits accidents de salopette !

Vite… mais pas trop!

Faire du ski, c'est glisser sur la neige en allant un peu vite pour se faire plaisir. Mais on ne file jamais tout droit ! On fait de beaux **virages** en dessinant de grandes courbes. Et on maîtrise sa vitesse.

Quand on a un très bon **niveau**, on peut descendre vite et enchaîner des virages beaucoup plus petits.

Avant de s'engager sur la piste, on vérifie ce qui se passe autour de soi. Sinon, gare aux **collisions** et aux mauvaises chutes !

Ce n'est pas parce qu'on va vite qu'on est un bon skieur. Ce garçon a eu trop confiance en lui et il n'arrive plus à **contrôler** ses skis.

À chacun sa couleur

Dans une station de ski, il y a des pistes pour tous les **niveaux**. Leur couleur indique la difficulté : les vertes et les bleues sont les plus faciles, et les rouges et les noires les plus difficiles.

En bas, on trouve surtout des pistes vertes ou bleues. Elles ont une pente toute douce : les **débutants** peuvent s'y amuser en toute sécurité.

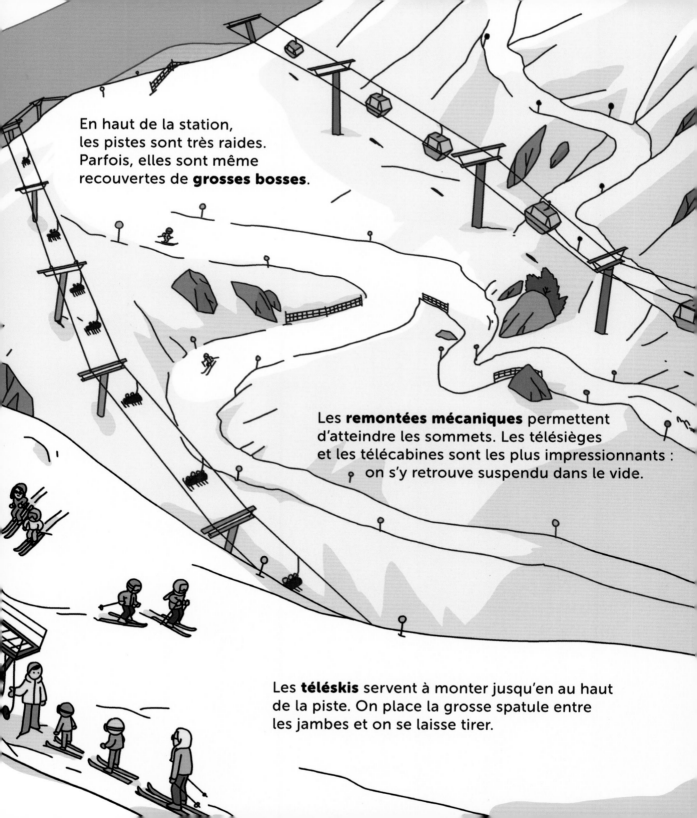

En haut de la station, les pistes sont très raides. Parfois, elles sont même recouvertes de **grosses bosses**.

Les **remontées mécaniques** permettent d'atteindre les sommets. Les télésièges et les télécabines sont les plus impressionnants : on s'y retrouve suspendu dans le vide.

Les **téléskis** servent à monter jusqu'en au haut de la piste. On place la grosse spatule entre les jambes et on se laisse tirer.

Le jardin des neiges

Tout en bas de la station, le jardin des neiges est réservé aux jeunes débutants. Il est entouré de gros boudins qui protègent des chutes. Des jeux et des parcours tracés dans la neige permettent d'**apprendre en s'amusant**.

Ceux qui n'ont jamais chaussé des skis commencent là où il n'y a presque **pas de pente**.

Ceux qui sont plus à l'aise vont **en haut** pour commencer à glisser et prendre un peu de vitesse.

Un petit téléski leur permet de s'entraîner sur une piste en **pente douce**.

Les enfants sont répartis par groupes en fonction de leur niveau. Chaque **groupe** a sa propre **couleur**.

La vie de groupe

La première fois que tu entres dans le jardin,
tu es tout intimidé. Ce n'est pas facile de quitter
ses parents et de se retrouver entouré d'inconnus.
Mais tu vas vite te faire des **copains**. Car ici,
c'est surtout un endroit où on s'amuse !

Au tout début, les moniteurs ont observé chacun
de vous pour voir comment vous vous débrouilliez.
Puis ils vous ont **répartis** par groupes en fonction
de ce que vous savez faire.

« Bonjour! Je m'appelle Jo. » Jo est là pour s'occuper de toi. **Apprendre** aux autres à skier, c'est son métier.

Te voilà dans le groupe rouge !
Tu vas avoir deux **moniteurs**.
Ils sont là pour te montrer les bons gestes, mais aussi pour assurer ta sécurité.

Trouver son équilibre

Au début, c'est très bizarre de se retrouver les pieds attachés à des skis : ils sont lourds, encombrants... et surtout ils glissent et font chuter au moindre mouvement ! La première chose qu'il faut travailler, c'est l'**équilibre**.

En faisant la **patinette** et en poussant sur un pied, tu t'habitues à glisser un peu sur la neige.

Sur tes deux skis maintenant, tu t'entraînes à avancer sur le plat, comme si tu marchais les deux pieds collés au sol. Sous chaque **arceau**, fais tinter la clochette !

Pour passer dans le **ventre de l'ours**, marche avec tes deux skis, mais en te baissant cette fois !

Tu peux maintenant faire ta première descente sur une pente douce. Garde ton équilibre en **écartant** bien les bras !

Apprendre à tourner

Une fois qu'on a trouvé son équilibre et découvert le plaisir de glisser, on peut apprendre à **tourner** et à **s'arrêter** tout seul ! Pour ça, il faut prendre un peu de vitesse : on monte plus haut dans le jardin grâce au tapis roulant.

Au début, on place ses skis de chaque côté d'une grosse **corde** et on la suit pour réaliser ses premiers virages.

Pour tourner et réduire sa vitesse, on forme le sommet d'une montagne avec ses skis. On appelle ça le **chasse-neige**.

Pour descendre, on se **penche** en avant. Il faut bien garder cette position et non se mettre en arrière comme on a tendance à le faire quand on a peur, au risque de tomber.

Prendre de la vitesse

Maintenant que tu sais tourner et ralentir, tu peux faire
ta grande entrée sur les pistes. Cette fois, on monte grâce
au **téléski**. Et pour la descente, ce n'est plus chacun son tour,
mais en file indienne : tout le monde skie en même temps.

Pour monter, on attrape
la barre que tend le perchiste.
Pas besoin de s'agripper
ni de tirer avec les bras :
c'est la **spatule** placée derrière
les fesses qui fait tout le travail !

Camille est monté sans problème, mais Vadim a très peur
de tomber. Pour le rassurer, Jo s'accroche à la **perche** avec lui.

Grâce au **parcours** que le moniteur a tracé, tu t'entraînes à tourner et à maîtriser ta vitesse. Regarde bien ce que font les autres : ça aide beaucoup à progresser !

L'évaluation finale

Le dernier cours est arrivé : c'est le grand moment de la remise des **médailles** ! Pendant la dernière heure, les moniteurs évaluent le niveau de ton groupe en faisant une sorte de grande révision de ce que vous avez appris pendant la semaine.

L'un après l'autre, vous descendez la piste et enchaînez les virages, en contournant les **obstacles** et en vous tenant bien en équilibre sur vos skis.

Bien se placer sur ses skis, contrôler sa vitesse, tourner, s'arrêter... Jo observe attentivement ce que vous êtes **capables** de faire maintenant.

Le **Piou-Piou**, l'**Ourson**, le **Flocon**... chaque enfant reçoit une médaille adaptée à son niveau et un petit carnet pour le récompenser de ses progrès.

Le conseil du coach

Quand on n'a pas peur de la chute, on est beaucoup plus à l'aise sur ses skis. Si tu sens que tu perds l'équilibre, ne te raidis pas. Laisse-toi tomber en douceur sur le côté : c'est la clé pour ne pas se faire mal ! Et fais confiance au moniteur et aux copains : ils t'aideront à te relever.

Porter ses skis

Apprendre à faire du ski, c'est apprendre à se débrouiller sans son papa et sa maman. Pour être vraiment **autonome**, tu dois donc savoir chausser, déchausser et porter tes skis tout seul.

Pour porter tes skis, place les deux semelles l'une contre l'autre, puis fais glisser tes skis pour que les **stop-skis** s'accrochent entre eux. Mets ensuite tes bras en panier pour porter tes skis devant toi.

Chausser et déchausser

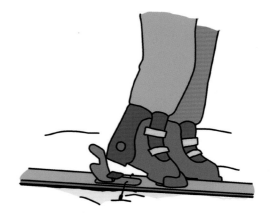

Pose tes skis côte à côte. Les stop-skis mordent la neige pour les empêcher de glisser et les fixations arrière sont **relevées**.

Place bien ton pied dans le même sens que les skis et glisse l'avant de ta chaussure dans la **fixation**.

Pose ton talon sur la languette de la fixation arrière et appuie en mettant tout le poids de ton corps. Tu entends un **coup sec** ? Tu as chaussé ! Ton pied doit être complètement accroché au ski.

Pour **déchausser**, libère ta chaussure en appuyant très fort sur l'arrière de la fixation.

Glisser... ou ne pas glisser !

Le principe du ski, c'est de **glisser**. Et de bien glisser.
Mais il arrive aussi qu'on ait besoin de ne surtout pas glisser.
Quand on a besoin de remonter la pente, par exemple,
ou quand on veut se relever après être tombé.

Glisser

Le secret pour avancer,
c'est de se mettre dans le **sens
de la pente**, les pieds légèrement
écartés, les jambes fléchies,
le buste en avant et le dos bien droit.

Quand on n'a pas de bâton,
on avance les bras écartés.

Si on veut prendre un peu
de vitesse, il suffit de se mettre
un peu plus dans la pente ou de
placer ses **mains sur les genoux**.

Ne pas glisser

Pour remonter une pente, tu peux placer tes pieds **en canard** et former une montagne inversée.

Tu peux aussi couper la pente et remonter en faisant des pas chassés, comme si tu montais un **escalier** imaginaire.

Pour te relever après une chute, allonge-toi sur le côté et place tes pieds **en travers de la pente**. Il ne te reste plus qu'à pousser fort sur les jambes et les bras.

Le chasse-neige

Pour avancer, on met ses skis bien parallèles
en les **écartant** un peu. Et pour tourner ou s'arrêter,
on se sert du chasse-neige.

Pour faire le chasse-neige, il faut tourner très fort ses pieds
dans les chaussures jusqu'à ce que les deux **spatules** se touchent.

Pour tourner, il suffit de porter
le **regard** en direction de l'endroit
où on veut aller. À gauche, puis à droite.

Pour s'arrêter, on tourne en chasse-neige. En **appuyant** un peu plus sur les jambes que pour le virage.

Les plus forts peuvent aussi s'arrêter en **dérapant** sur la neige, les skis bien parallèles.

Le conseil du coach

La neige change avec la météo. En temps normal, elle est toute douce. Mais elle peut aussi être très lourde quand il fait chaud. Et très dure et glissante quand elle a fondu puis gelé. Tu dois donc bien l'observer et adapter ta manière de skier !

Les progrès

Quand tu auras gagné tes premières médailles au jardin des neiges, tu pourras te lancer sur les pistes des grands. Tu passeras alors ta première, ta deuxième, puis ta troisième **étoile**.

Tu seras capable d'enchaîner les virages autour des piquets rouges et bleus en gardant tes skis parallèles. Et de foncer **tout schuss** sur toutes sortes de pistes, en gardant une parfaite maîtrise de ta trajectoire.

Si tu vas jusqu'à l'étoile d'or et si tu es très motivé pour continuer, tu pourras passer en classe **compétition** et attaquer le slalom. Tu devras alors t'entraîner beaucoup et répéter toujours les mêmes courses pour être de plus en plus rapide.

Tu pourras aussi t'arrêter là, et skier avec tes parents et tes copains. Juste pour le **plaisir** !

Les disciplines

Pour les **fans de la glisse** et des sensations fortes, il existe un grand choix de disciplines.

Le **surf des neiges** ressemble beaucoup au skateboard : on a les deux pieds posés sur une large planche.

Avec le **freestyle**, on réalise toutes sortes de figures acrobatiques dans les airs.

Le **freeride** se pratique en dehors des pistes de la station : il permet de skier en pleine nature sur une neige toute neuve.

Le **slalom** et le **géant** sont réservés aux amoureux du ski alpin. On dévale des pistes très raides en suivant un parcours imposé.

Les stars

À force de s'entraîner, certains skieurs sont devenus de grands **champions** connus dans le monde entier. Et parmi eux, on compte pas mal de Français !

Jean-Claude Killy
Né en 1943, il est l'un des grands champions de l'histoire du ski français. À lui seul, il a remporté trois médailles d'or aux Jeux olympiques de 1968.

Edgar Grospiron
Triple champion du monde, ce Français a remporté la médaille d'or de l'épreuve de bosses aux Jeux olympiques en 1992.

Tessa Worley
Cette skieuse alpine
française est une spécialiste
du slalom géant :
elle a remporté deux fois
le championnat du monde,
en 2013 et en 2017.

Marion Haerty
À 25 ans, cette jeune
Française est devenue
championne du monde
de freeride en 2017.

Le conseil du coach

Quand on fait du ski,
on est exposé
au froid, au vent.
C'est très éprouvant,
parfois. Durant
ta semaine de cours,
essaie de faire
une petite sieste
si tu peux et couche-
toi tôt le soir. Tu as
besoin de toute
ton énergie !

Découvre tous les titres de la collection

Mes docs SPORT

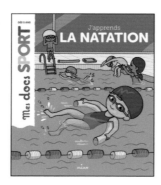

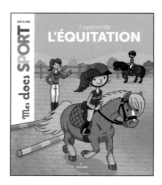

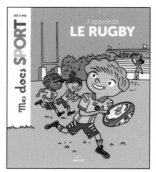

Remerciements
À Jo pour ses précieux conseils, et à Baptiste
pour ses exploits sur les pistes.

editionsmilan.com
© 2018 éditions Milan – 1, rond-point du Général-Eisenhower,
31101 Toulouse Cedex 9, France.

ISBN : 978-2-7459-9309-0
Dépôt légal : 1er trimestre 2018
Imprimé en Roumanie par Canale